W9-BRT-665

Dd Ee Ff
Jj Kk Ll
Pp Qq Rr
Vv Ww
Zz

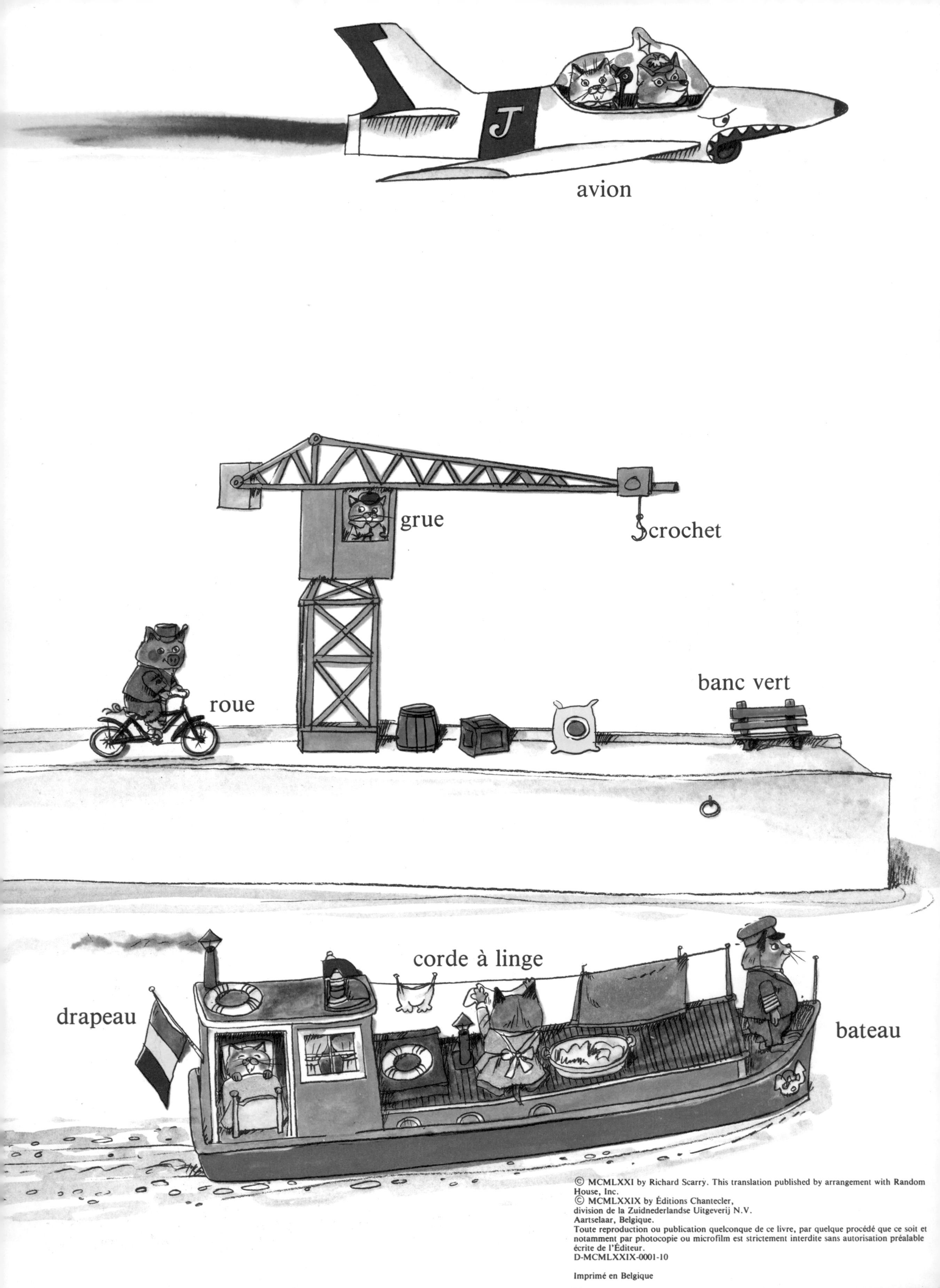

D-MCMLXXIX-0001-10

Imprimé en Belgique

parachute

Richard Scarry
mon nouveau vocabulaire

sous-marin

locomotive

CHANTECLER

AUTOS

Maman Chatte conduisait papa Chat à l'aérodrome lorsque soudain, elle fit un accident.

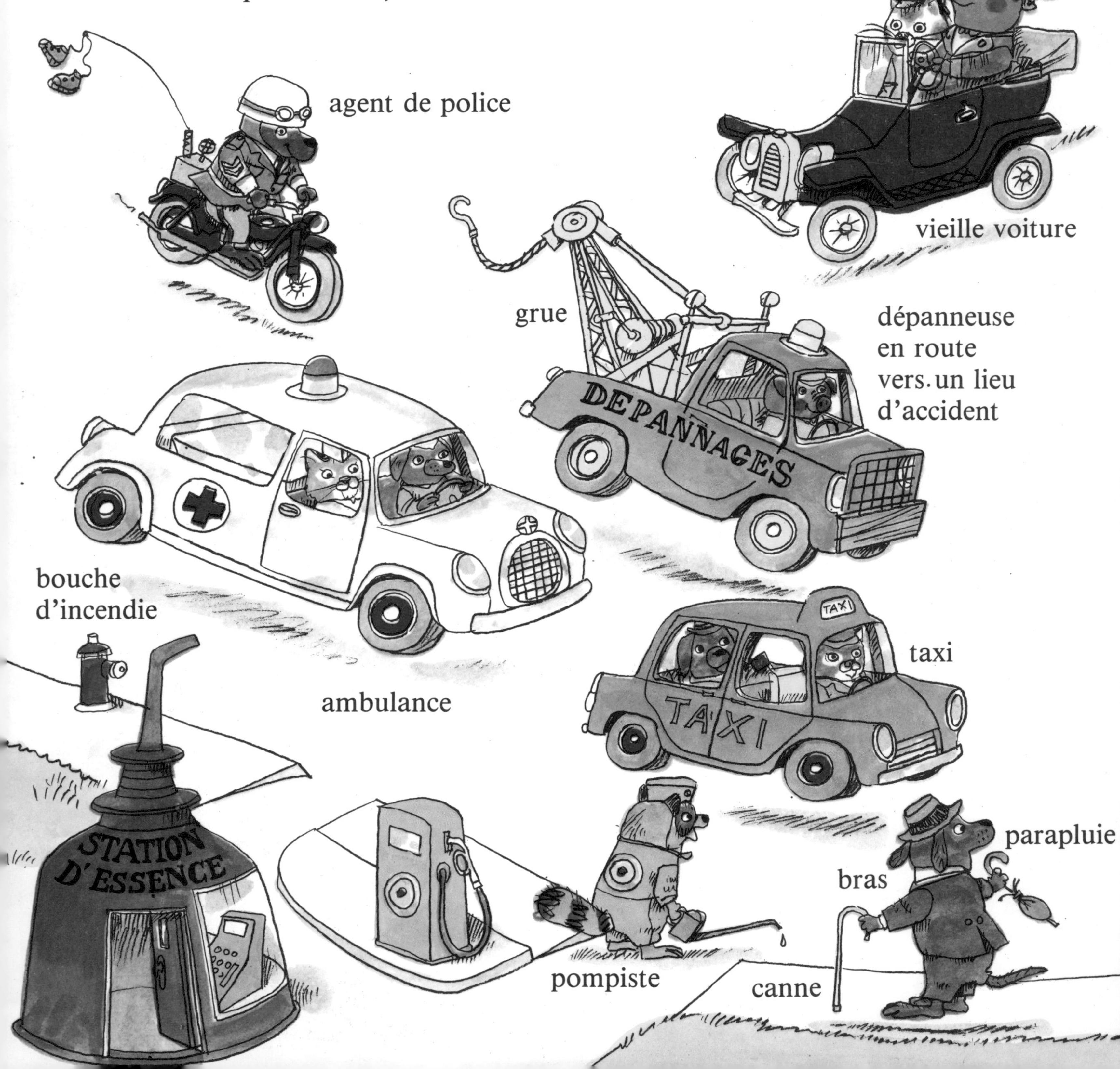

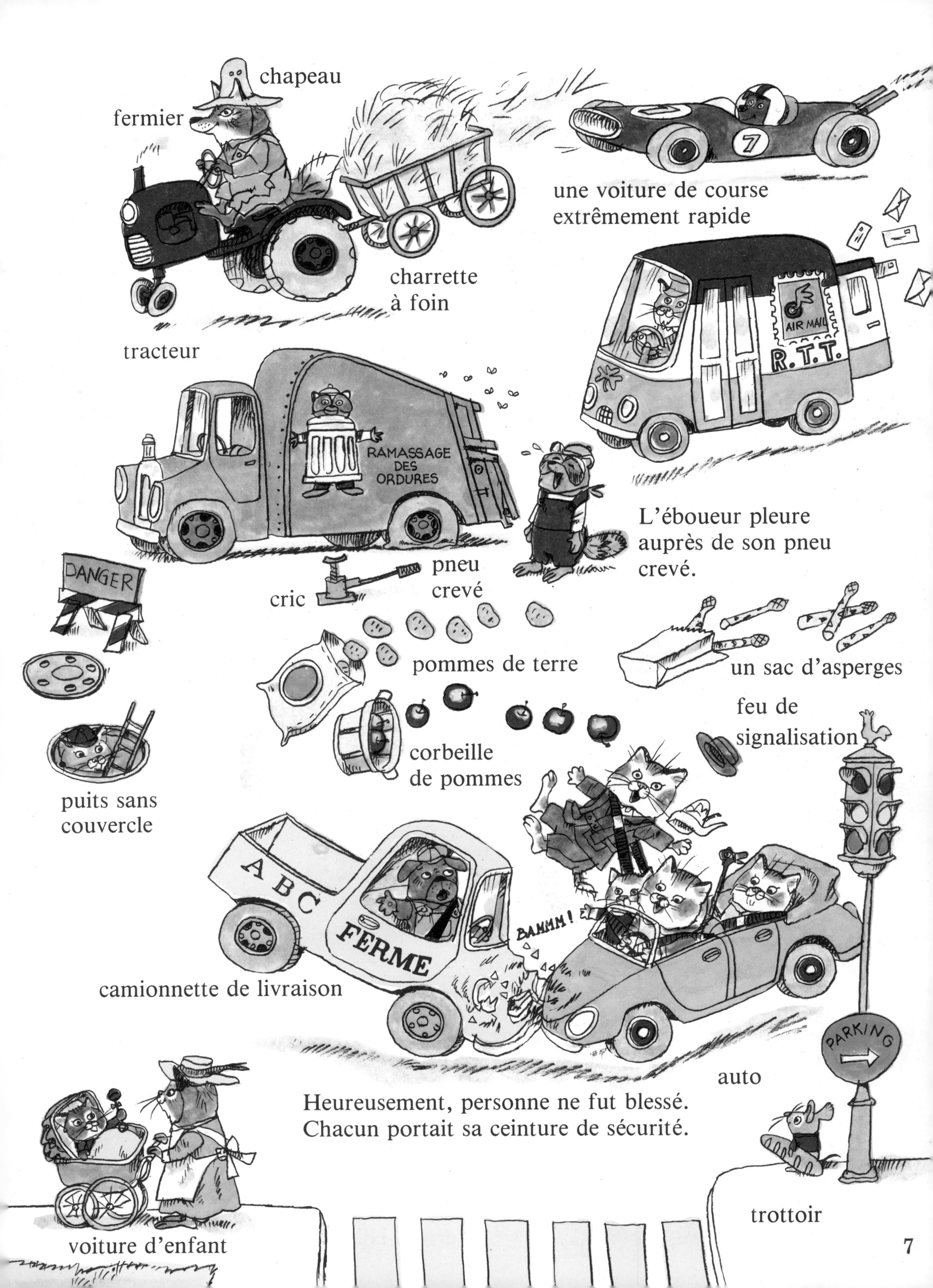
chapeau
fermier
une voiture de course
extrêmement rapide
charrette
à foin
tracteur
AIR MAIL
R.T.T.
RAMASSAGE
DES
ORDURES
L'éboueur pleure
auprès de son pneu
crevé.
DANGER
pneu
crevé
cric
pommes de terre
un sac d'asperges
feu de
signalisation
corbeille
de pommes
puits sans
couvercle
A B C
FERME
BAMMM!
camionnette de livraison
PARKING
auto
Heureusement, personne ne fut blessé.
Chacun portait sa ceinture de sécurité.
trottoir
voiture d'enfant

CHAMP D'AVIATION

queue

manche à vent

hôtesse de l'air

hangar

escalier

vagabond

papa Chat

SUIVEZ MOI

Un lapin tombe.

Un avion vide atterrit sur le champ d'aviation.

Le pilote a sauté en parachute.

La grosse Hilda cherche un coin sûr.

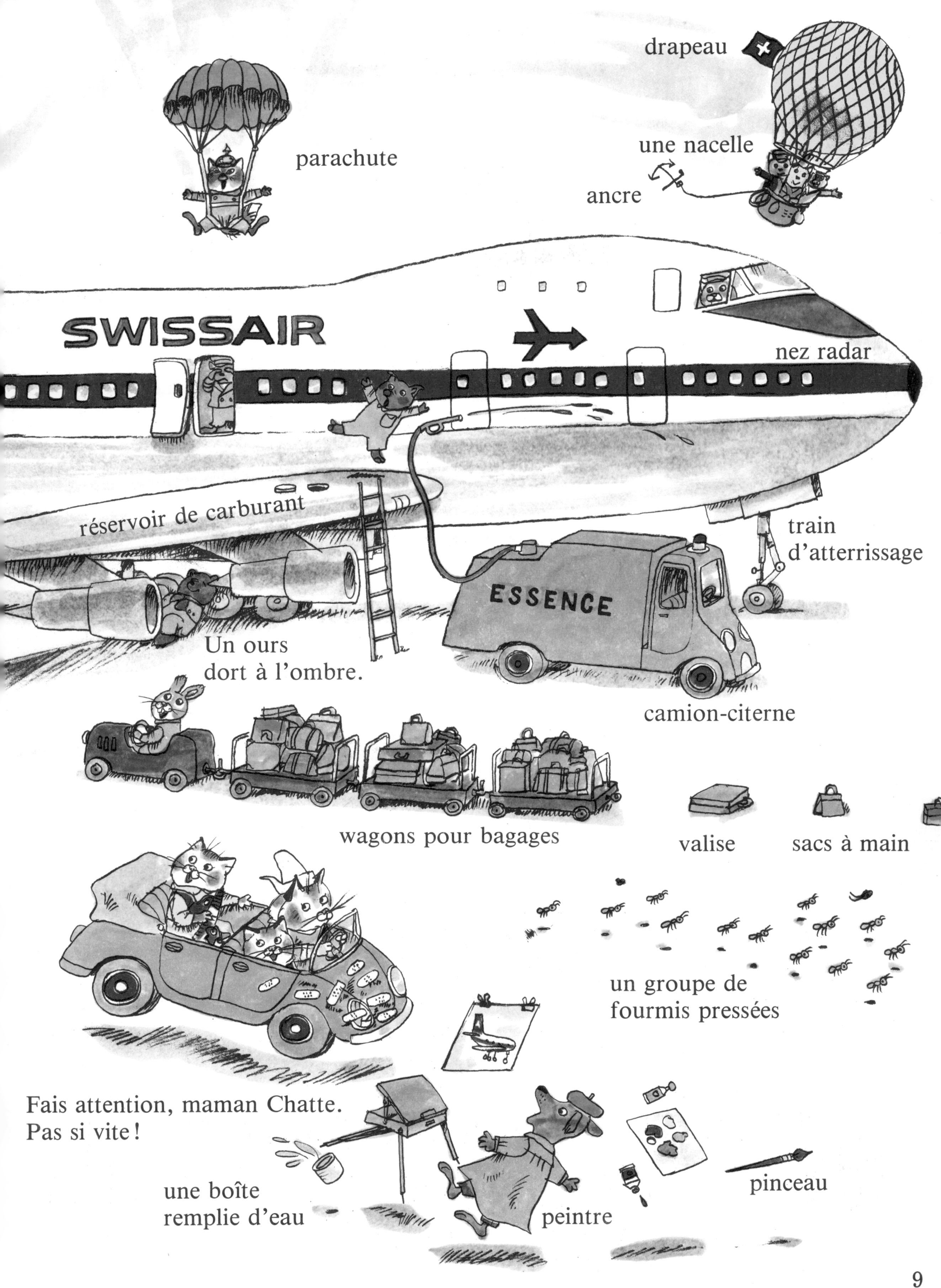
drapeau
parachute
une nacelle
ancre
SWISSAIR
nez radar
réservoir de carburant
train
d'atterrissage
ESSENCE
Un ours
dort à l'ombre.
camion-citerne
wagons pour bagages
valise
sacs à main
un groupe de
fourmis pressées
Fais attention, maman Chatte.
Pas si vite!
une boîte
remplie d'eau
peintre
pinceau

BATEAUX

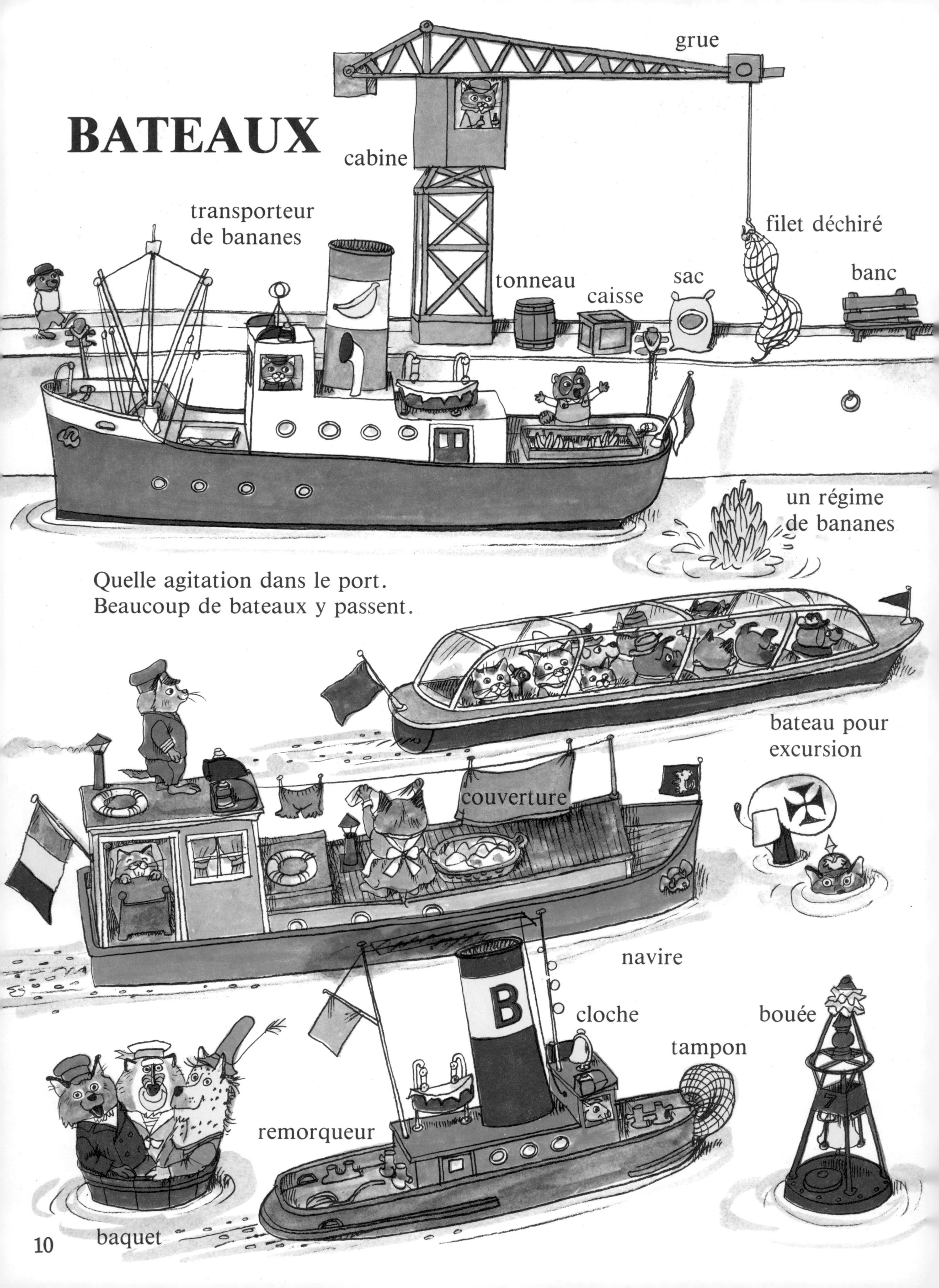

Quelle agitation dans le port.
Beaucoup de bateaux y passent.

pont-levis
un bâtiment
en pierre
bateau
à
voile
COIFFEUR
BOULANGERIE
souris
vélo
flotteur
sous-marin
tuba
Le capitaine Eausalée
fait signe du pont
de son grand
bateau bleu.
cabine
de
radio
livre
proue
pinceau
chemise
balai
bottine
bouteille
un bateau retourné

FÊTE CHAMPÊTRE

Quelle agitation dans le jardin de Poussicat.
Chacun déguste des glaces et danse au rythme d'une joyeuse musique.

cornet de glace

gobelet

Deux souris amusantes font du jus de pomme dans une bétonnière.

Poussicat fait sauter le maïs.
Mais le couvercle n'est pas fermé.
Pssst, pssst, pffft, pffft !
Attention, Poussicat !

bonnet de cuisinier

MAIS

couvercle

boîte

cafetière

barbecue

ouvre-boîtes

Rudolphe Sauvage arrive
également.
trompette
appareil
photographique
Crabie attrape le maïs
avec ses pinces.
accordéon
Chenille Rinus danse en rond
avec une branche de céleri.
petite
bougie
Charles a mangé beaucoup
trop de biscuits.
Quel plaisir !
Pierre Cochon tombe
au milieu de la tarte. Smac !

NOËL

Il fait terriblement froid,
mais tout le monde est heureux.
Demain, c'est Noël.
Les cloches sonnent déjà joyeusement
dans le clocher de l'église.

Un ramoneur tout noir
a des démangeaisons
au nez.

La bûche est attachée
au traîneau par une chaîne.

Des enfants chantent
des chants de Noël.
cheminée
foulard
petite pièce
Maman Queue Tirebouchon fait la causette.
Entre-temps, les côtelettes cuisent
pour ses porcelets.
Maman Queue Tirebouchon est
la championne de la causette.
tasse
chaise
aiguille
allumette
banc
montre-bracelet

FAIRE DE LA CASSE

Ce Rageur est décidément fou, idiot et bête.
Il tourne en rond avec son bulldozer.
C'est très dangereux.

Hier, il a carrément renversé la droguerie.
Le droguiste en est furieux !

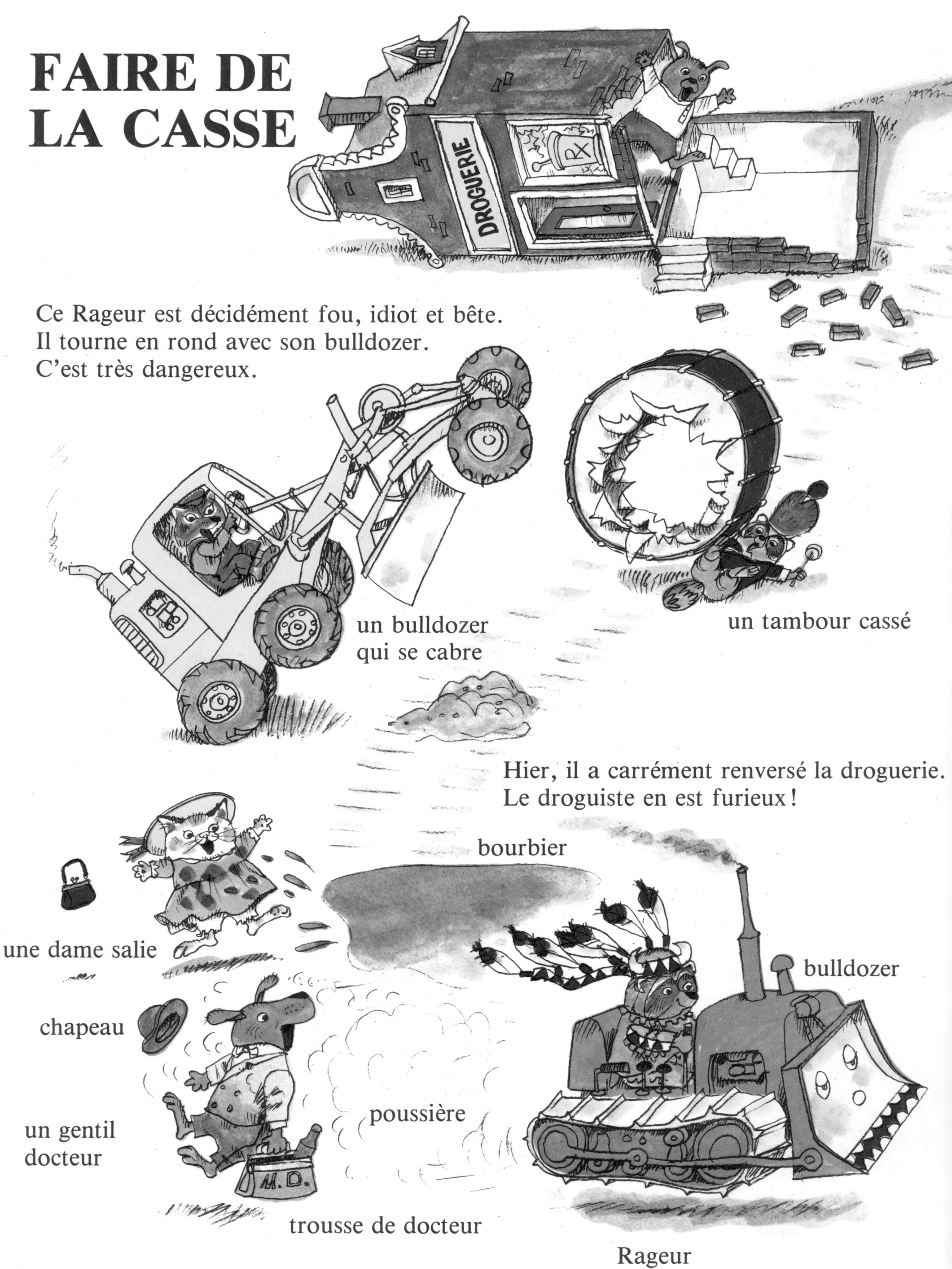

DEVIATION
un camion de sable
renversé
sable
grue
planche
un terrassier affolé
Où s'est
caché
Hukkie ?
foreuse
échelle
une fosse profonde
porte
DANGER
une douzaine
de beignets
BEIGNETS
une voiture
de livraison

INCENDIE

Ernie l'éléphant et ses vaillants pompiers viennent de partir pour éteindre un immense incendie. Les habitants de la maison appellent au secours. Patience! Ernie arrive.

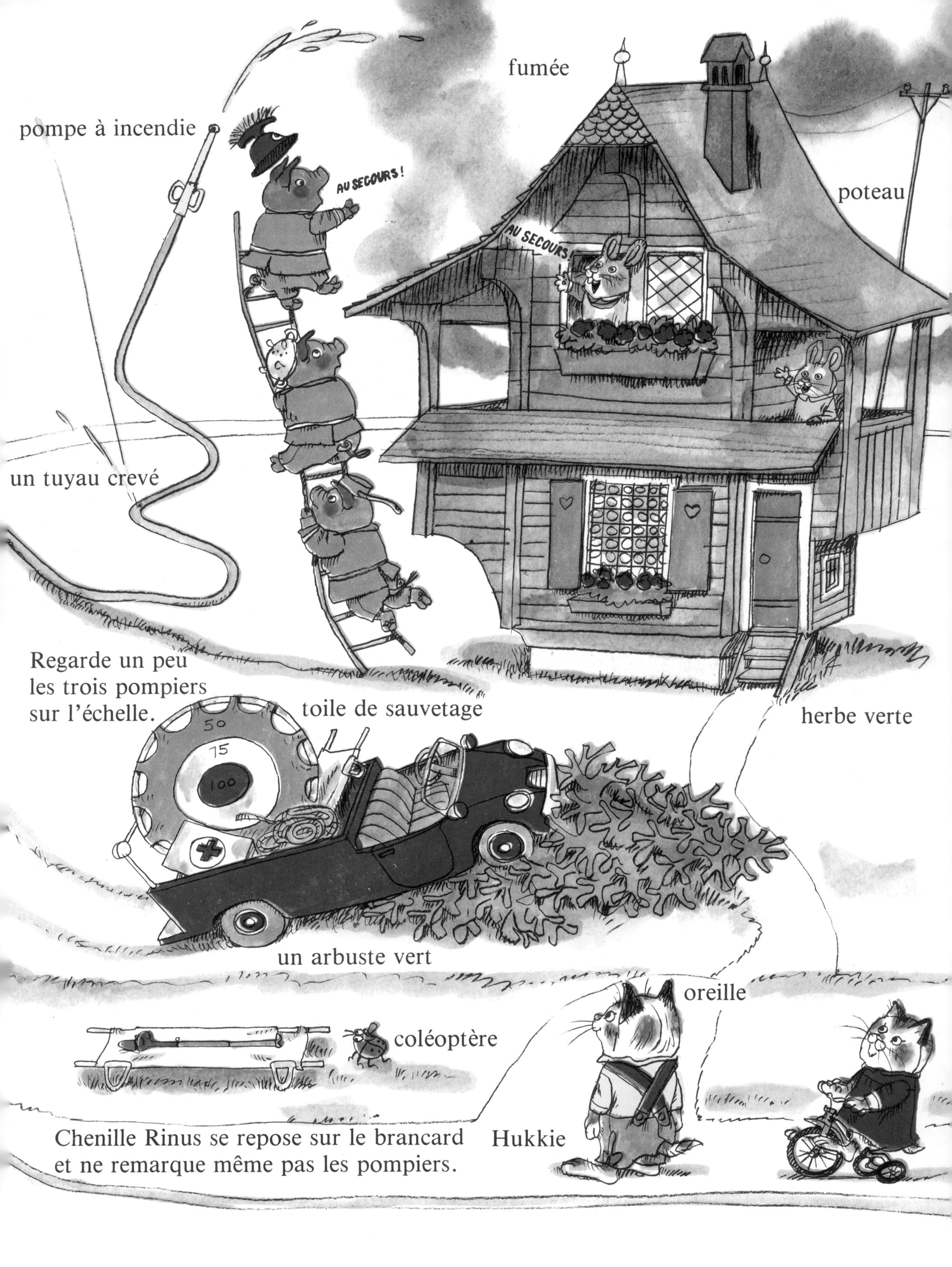
fumée
pompe à incendie
AU SECOURS!
AU SECOURS!
poteau
un tuyau crevé
Regarde un peu
les trois pompiers
sur l'échelle.
toile de sauvetage
50
75
100
herbe verte
un arbuste vert
oreille
coléoptère
Chenille Rinus se repose sur le brancard
et ne remarque même pas les pompiers.
Hukkie

LA FERME

Le fermier Renard travaille
dans son champ.
Il cultive de la nourriture
pour toute sa famille.
Cinq petits renards
habitent dans la ferme.
Peux-tu les trouver ?

drapeau
le toit de la ferme
le bois
fleur
robinet
foyer
biscuits
flammes
farine
sol
une mouche
Cinq mouches volent
à la queue leu leu.
un gros poisson
Louveteau et
son amie Fred,
la grenouille
Hukkie tombe
le museau dans l'herbe.
patte
quatre poissons
couteau
une casquette qui flotte

LE GARAGE

Que se passe-t-il dans la station service du comique petit Georges ?

un immense camion-citerne

fille

pompe à essence

saucisse chaude

valise

grille

la corde d'une guitare

Gys l'oie a chargé sa voiture.
Les jeunes oies chantent à tue-tête.
Ouf ! Quel bruit !

une toute petite voiture

Le jardinier se trouve près de la serre.
Le téléphone
sonne.
R-r-r-r-i-i-i-n-g
un potager
Grand'maman
rigole et ricane.
PNEUS
D'OCCASION
lunettes
taches de graisse
Comique petit Georges a mis des gants.
Il fait le graissage d'une voiture
avec son pistolet à graisse.
boing!
boing!
détergent
éponge
colle
ENTRÉE ET
SORTIE
Ici, quelque chose cloche.
Mais le monteur a vite
fait de le réparer.
Hukkie porte
de véritables lunettes
de course.

LA MAISON

Voici une agréable maison.
Tout le monde y est heureux
Excepté... Dorus Vaillant.
Dorus est venu réparer le toit.
Mais il s'est tapé sur les doigts.
Aïe ! Aïe !

Qui montre sa tête à travers le chapeau ?

cœur

volet

enfants

hache

sarcloir

Hukkie joue de la trompette.
Il porte un très haut chapeau.
Il souffle de toutes ses forces.

tuyau d'arrosage

caillou

Un hélicoptère plane haut dans le ciel.
cabane dans un arbre
branche
On peut jouer à cache-cache
sous les draps.
crochet
cintre
douche
eau chaude
Vite maman ! Quelque chose
cloche avec le spaghetti !
miel
cruche
sauce anglaise
assiette
une
poule
pressée
arbuste
Papa fait un trou pour
planter un arbuste.
bêche
trou
brouette

DANS L'EAU

L'avion de Rudolphe le Sauvage
passe à toute vitesse.
Le vent en arrache les ailes.
L'avion descend alors
à toute allure.

Le vent souffle de plus en plus fort.
Les ailes tournent de plus en plus vite.
Ainsi, le moulin moud un tas de grains.
Le meunier est alors content.
Mais la corde du cerf-volant d'oncle Otto
s'accroche dans les ailes.
Le meunier va se fâcher!

pipe

Petit Pierre, ce vaurien,
déguste sa glace, debout sur le ventre
d'oncle Otto.
Il salit la chemise d'oncle Otto.

une haute montagne

rocher

fil barbelé

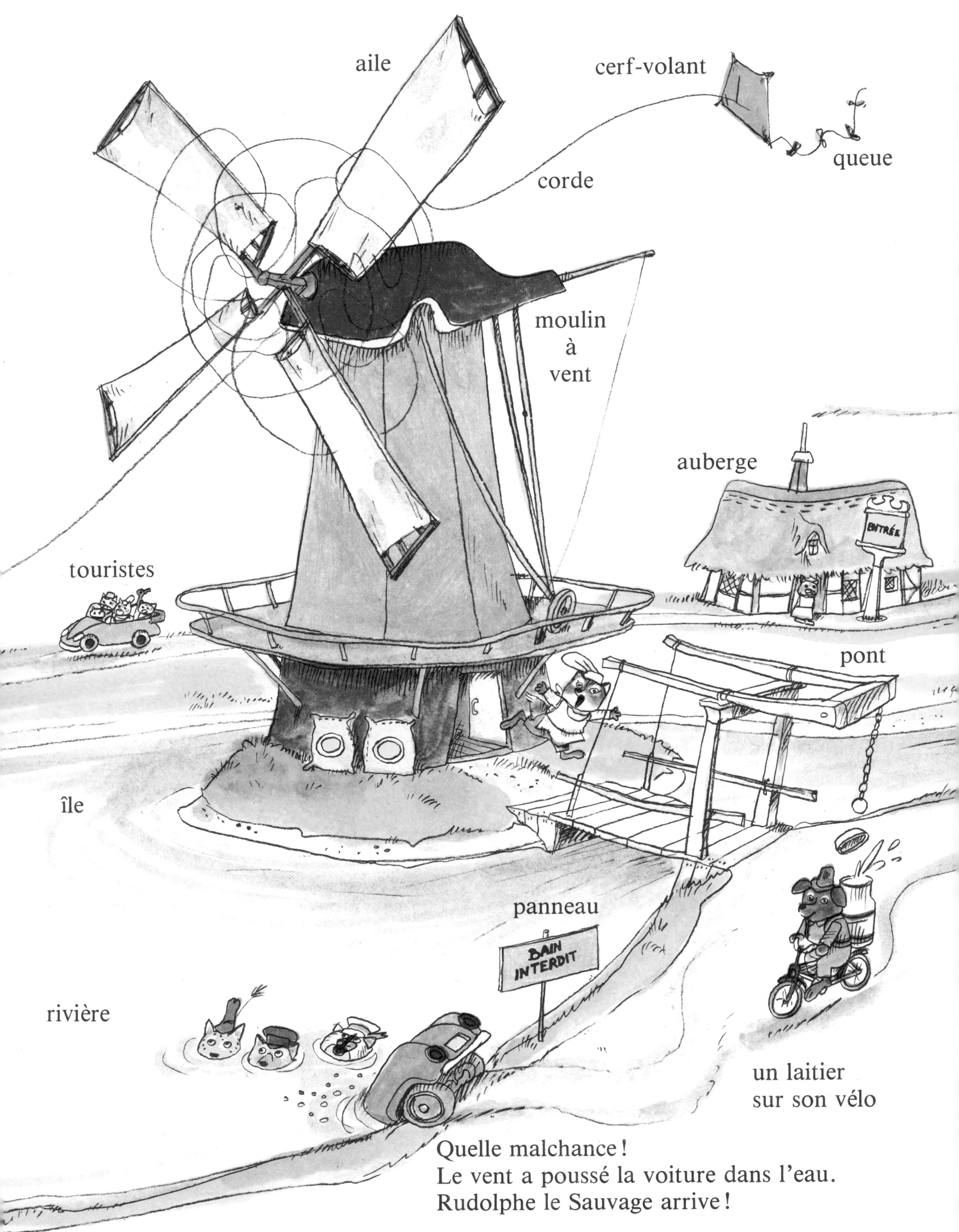

Quelle malchance !
Le vent a poussé la voiture dans l'eau.
Rudolphe le Sauvage arrive !

UN PLAISIR FOU

Smac ! Smac ! La grosse Hilda met un pamplemousse entier dans sa bouche. Est-ce bon, Hilda ?

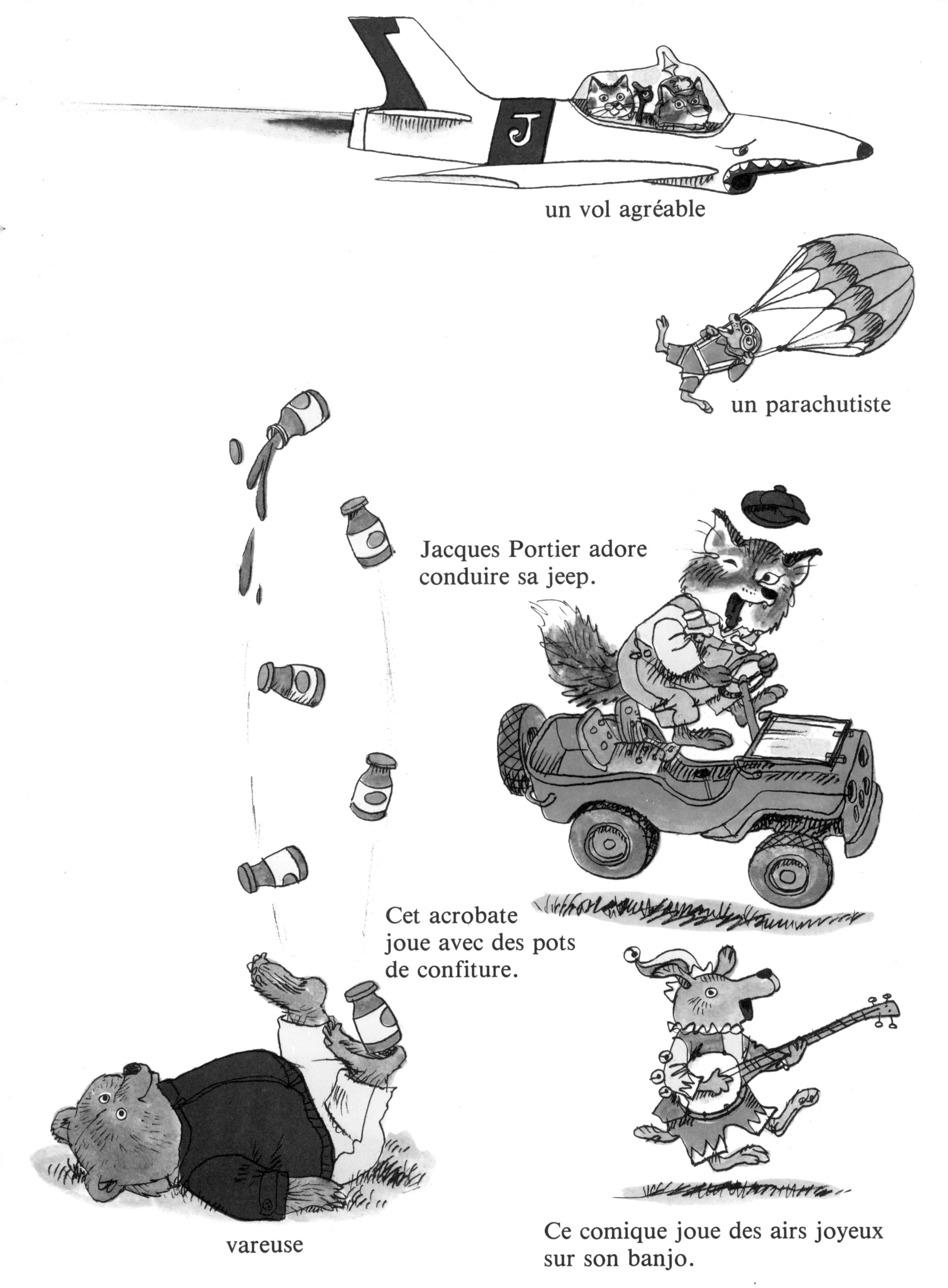

un vol agréable

un parachutiste

Jacques Portier adore conduire sa jeep.

Cet acrobate joue avec des pots de confiture.

vareuse

Ce comique joue des airs joyeux sur son banjo.

SE RÉGALER

Le roi a faim!
Il mange un gros cornichon.
Madame Kangourou apporte un cake,
fabrication maison, pour le roi.
Que préfères-tu?

un dindon
dans l'évier

Hukkie a un immense melon dans sa voiture.

TOUT EST APLATI

Un grand rouleau compresseur
est devenu fou !
Attention, hors du chemin,
sinon, il t'aplatira.

feu de signalisation

De peur, le facteur
a laissé tomber
toutes les lettres.

une voiture aplatie

un vélo aplati

essuie-main

une tondeuse aplatie

une petite fille avec une sucette

tonneau d'huile

La lessive de Madame Queue Tirebouchon s'en va.
« Rends-moi ma lessive ! » crie-t-elle fâchée.
« Et dépêche-toi de quitter mon jardin ! »

jouer à saute-mouton

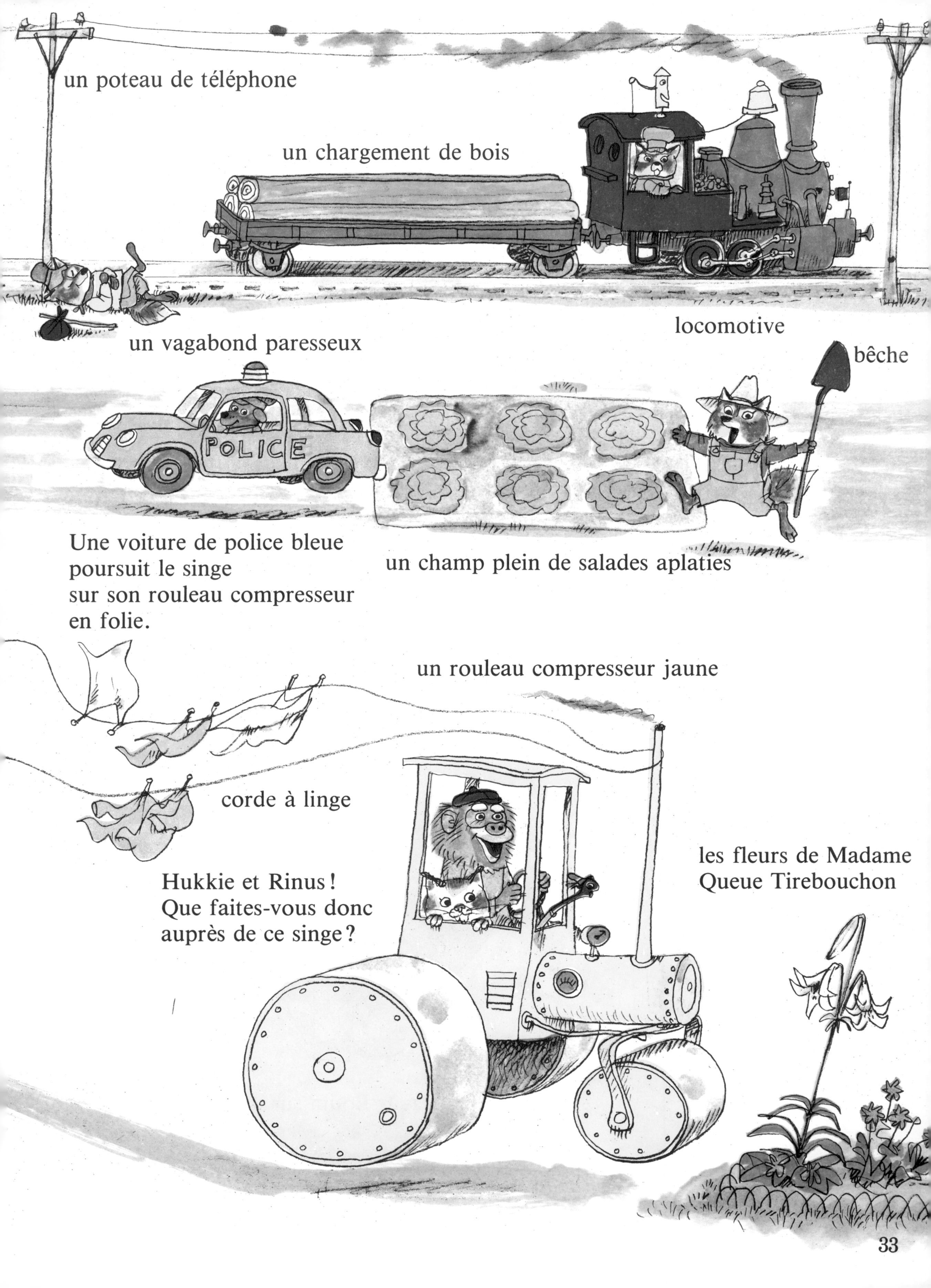
un poteau de téléphone
un chargement de bois
locomotive
un vagabond paresseux
bêche
POLICE
Une voiture de police bleue
poursuit le singe
sur son rouleau compresseur
en folie.
un champ plein de salades aplaties
un rouleau compresseur jaune
corde à linge
les fleurs de Madame
Queue Tirebouchon
Hukkie et Rinus !
Que faites-vous donc
auprès de ce singe ?

BOSSES ET FOSSES

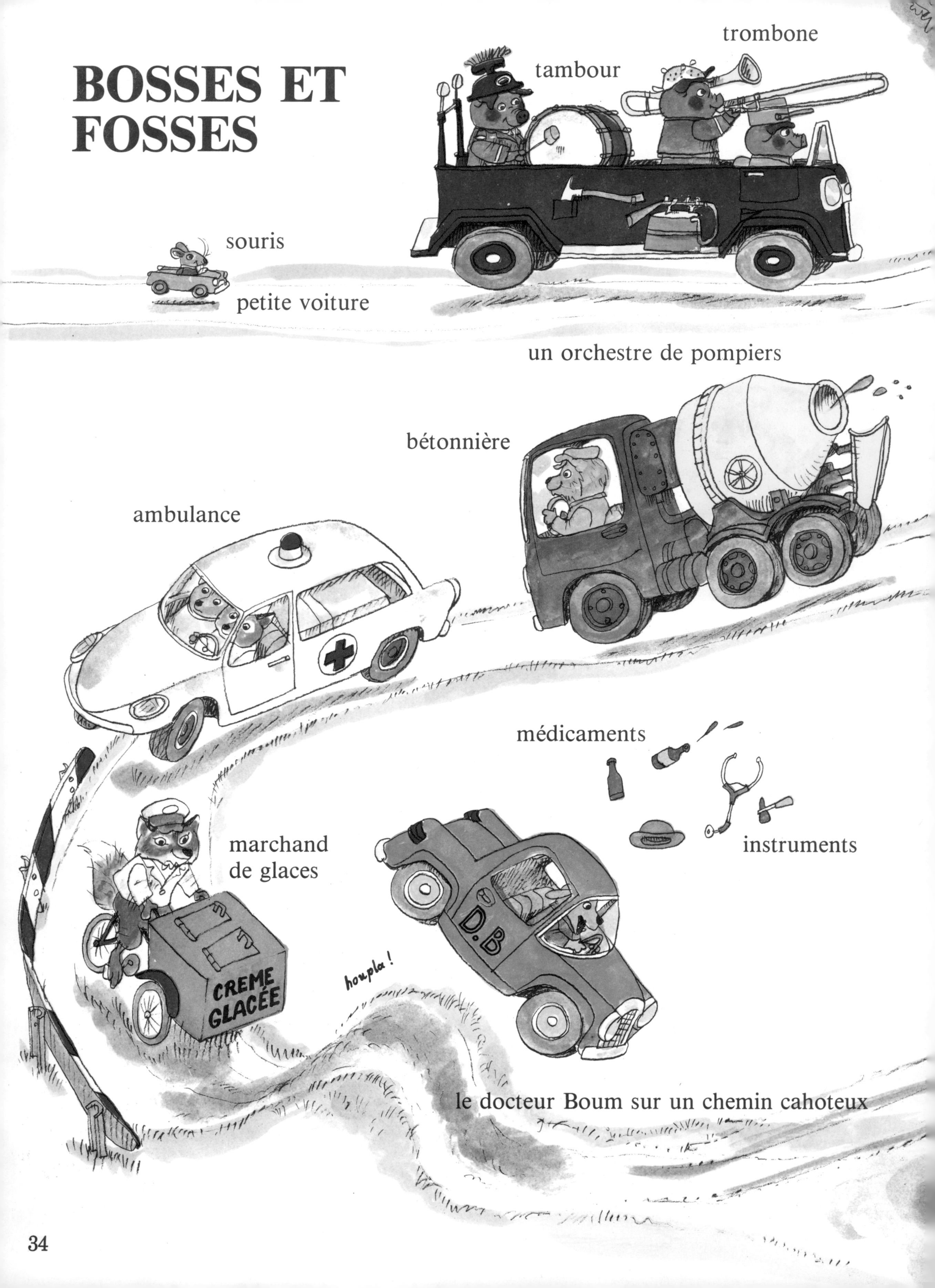

camion postal
P.T.T.
camionnette
du laitier
rétroviseur
pare-choc
LAIT
statue
GUILLAUME
TELL
moto
PLOMBIER
fumée
auto du plombier
Après un long chemin
boueux, l'auto de
maman ne démarre plus.
Papa Queue Tirebouchon
est resté embourbé.
Oh, comme il est fâché!
M101
un sale chemin boueux
LIMITATION
DE
VITESSE
60/h

DES FOLIES

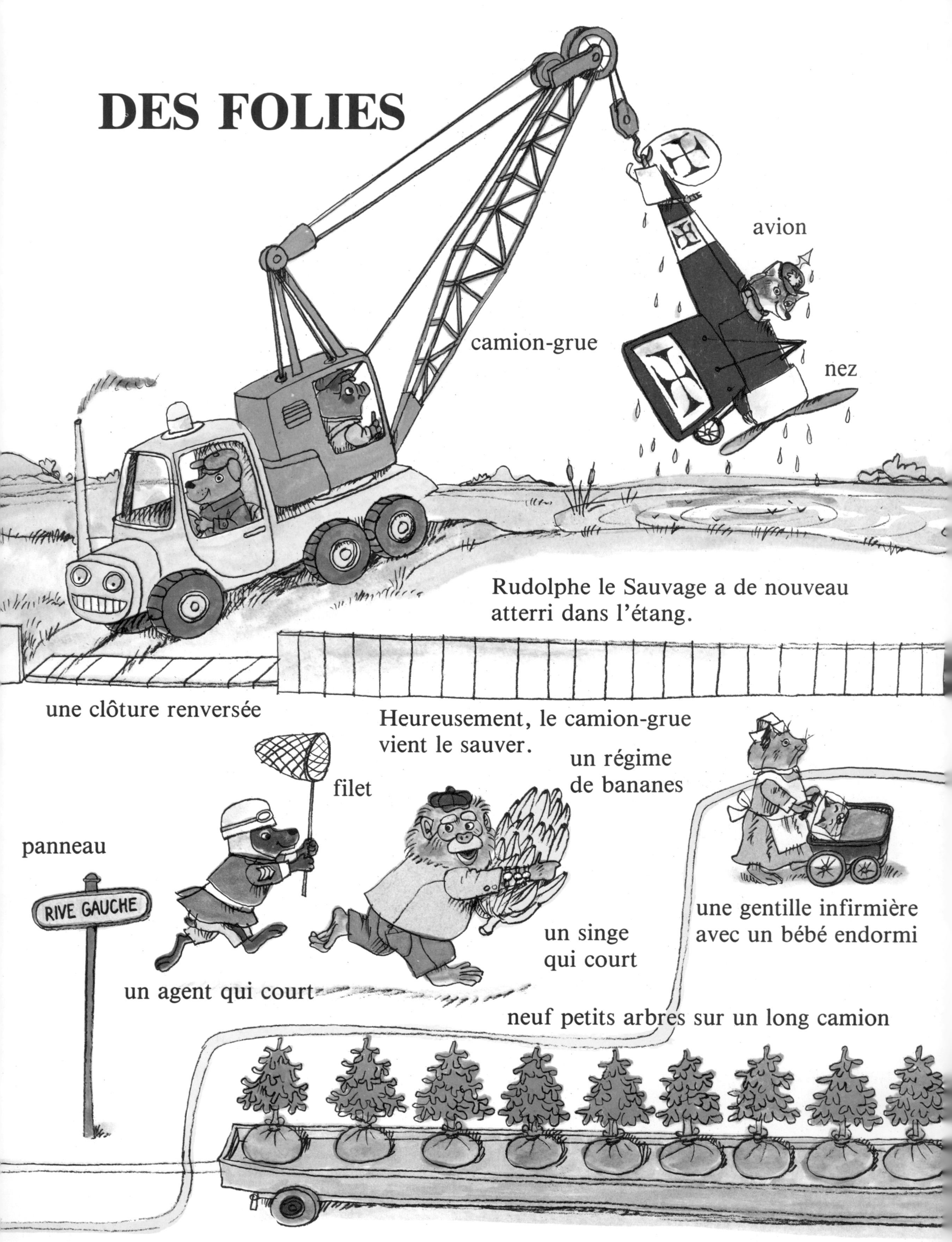
avion
camion-grue
nez
Rudolphe le Sauvage a de nouveau atterri dans l'étang.
une clôture renversée
Heureusement, le camion-grue vient le sauver.
un régime de bananes
filet
panneau
RIVE GAUCHE
une gentille infirmière avec un bébé endormi
un singe qui court
un agent qui court
neuf petits arbres sur un long camion

banderole
ballon
un soleil
rayonnant
ancre
A nouveau, un avion atterrit dans l'étang.
Et encore un.
JOURNAUX
journal
une nouvelle
cravate
une petite auto
avec un toit ouvrant
sur une auto
sur une grande auto
un peintre qui trace des lignes
oncle Jacques
ATTENTION
bouche d'incendie
PÉPINIÈRE

LE PORT

Quelle agitation dans le port !
Tout le monde est venu voir les bateaux.

MAGASIN D'ALIMENTATION
bus
rue
Une vieille chèvre
regarde
par la fenêtre.
Chenille Rinus
fenêtre
HOTEL
"TOUT VA BIEN"
arc
flèche
poteau
Que c'est bête!
Le capitaine ne s'est pas
arrêté à temps.
Son bateau sombre dans les
profondeurs.
Le hibou, un soldat armé
jette
une ligne.
tour
horloge
canon
charrette
plage
vieux fort
un monstre
derrière les grilles

LA FÊTE

L'amusante Polly Queue Tirebouchon donne une fête.
Pingpoung, fait-elle sur le piano.
Tout le monde est joyeux.

Quelqu'un épluche une petite pomme.

Hukkie glisse et perd
son gâteau.
Rinus saute et...
l'attrape.

Pierre pousse Paul.
C'est vilain, Pierre !
Tu ne peux pas taquiner
les autres.

Dépose le gâteau
sur l'assiette
maintenant,
Rinus.

Poussie verse du bon
jus de fruit dans
un verre.
Ne renverse pas,
Poussie !

PETITS JEUX

La reine joue avec ses petits amis.
Mais ceux-ci se disputent.
Du calme, les amis !

La reine dans un chaud manteau.

Deux écureuils lancent des anneaux.
Cesse!
Quick vide son pistolet
à eau
d'un grand jet.
Bien visé!
La pieuvre
est surprise!
Deux filles jouent
à la marelle.
7
8
6
4
5
3
2
1
moustique
une bouteille de lait

CANOTAGE

Les lièvres pressés passent rapidement
la rivière.
Le barreur conduit droit vers un rocher.
Crac! Ils échouent.
Dieu! Que le barreur est fâché!

Hukkie sauve
un nageur.

Qu'il a l'air drôle
ce rhinocéros!
Il a peur d'être mouillé.
Est-ce ainsi qu'il restera sec?

un mendiant affamé
dans des vêtements déchirés

ruban
radio
Ce rameur
se repose.
carotte
rocher
les perdants
les gagnants
Le coq pousse des cocoricos éclatants.
Et le corbeau?
corde
ski nautique
raton
RESTAURANT
TROIS ETOILES
BAR
terrasse
Le garçon apporte une grande coupe de fruits
à un client. Mais comment se fait-il qu'une
chaise se trouve là? Pourvu que tout se
passe bien.
vilaines manières

CUISINER

Papa Queue Tirebouchon arrive chez lui et donne un gros baiser à maman.
« Qu'allons-nous manger ? » demande-t-il.
« Tes neveux sont venus loger pour quelques jours » dit maman.
« Ils veulent nous faire une surprise.
Ils préparent un bon repas. »
« Mmmm, ça sent bon » dit papa en reniflant.
« Tu viens voir à la cuisine ? »
Et que voient-ils ?

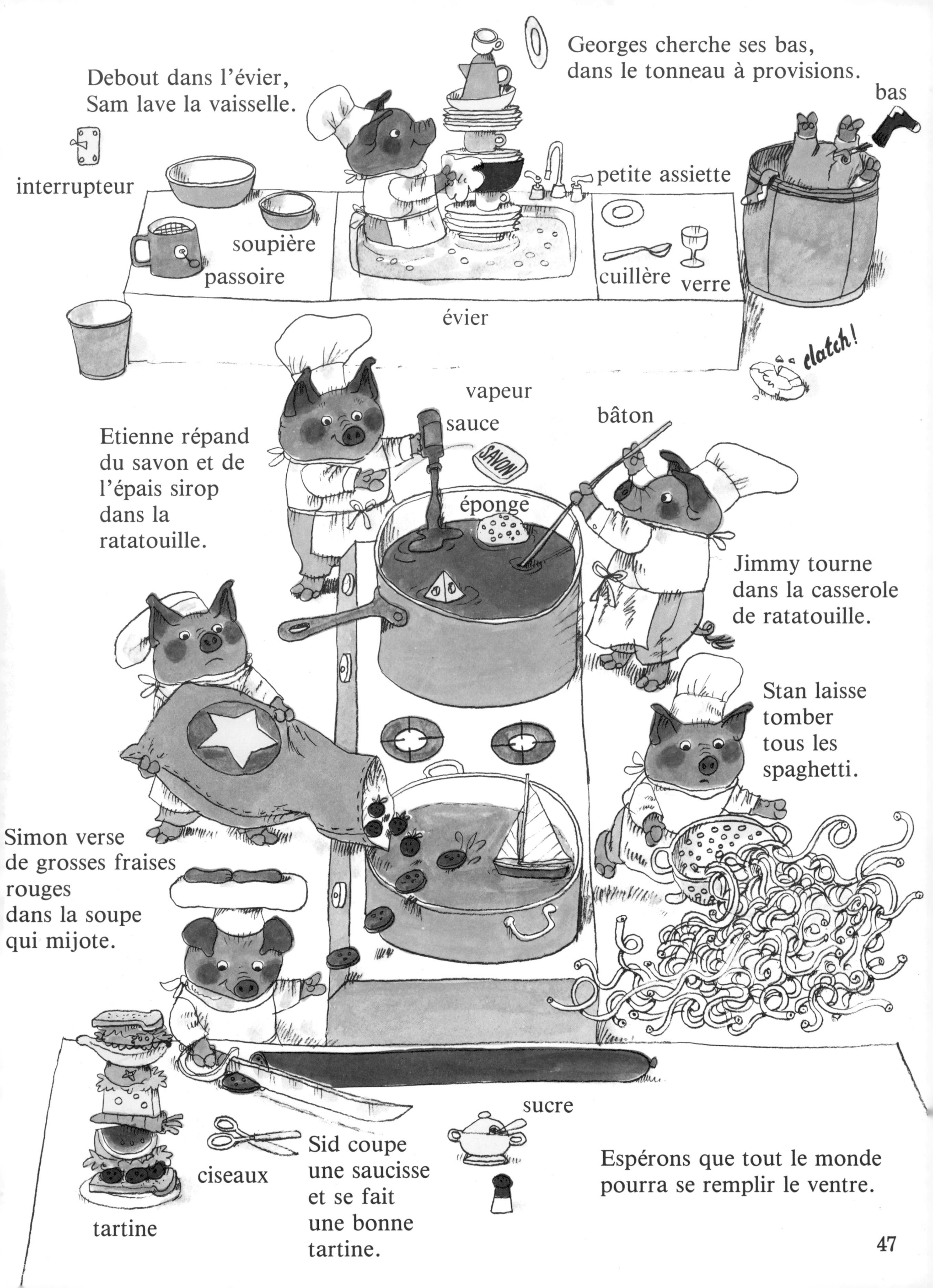
Debout dans l'évier,
Sam lave la vaisselle.
Georges cherche ses bas,
dans le tonneau à provisions.
bas
interrupteur
petite assiette
soupière
passoire
cuillère
verre
évier
clatch!
vapeur
sauce
bâton
SAVON
Etienne répand
du savon et de
l'épais sirop
dans la
ratatouille.
éponge
Jimmy tourne
dans la casserole
de ratatouille.
Stan laisse
tomber
tous les
spaghetti.
Simon verse
de grosses fraises
rouges
dans la soupe
qui mijote.
sucre
ciseaux
Sid coupe
une saucisse
et se fait
une bonne
tartine.
Espérons que tout le monde
pourra se remplir le ventre.
tartine

JOUR DE LESSIVE

Oh, quel dommage ! Maman Ours a lavé la chemise de papa.
Elle est maintenant trop petite.
Pauvre papa !

Un drap qui bouge ! Comment est-ce possible ?

Un mouton dans un costume rapiécé
enfonce la porte. Il veut montrer
ce qu'il peut faire avec ses balais.
Il y en a même un pour ouvrir la douche.
« Ferme la porte » crie maman.
« J'ai froid. »

Les enfants se battent, se poussent
et se tirent. Ils hurlent et pleurent.
Quel tintamarre !
Arrêtez, les enfants ! Arrêtez !

UN ACCIDENT

Quel terrible accident !
Un train entre en collision
avec un camion chargé de tomates.

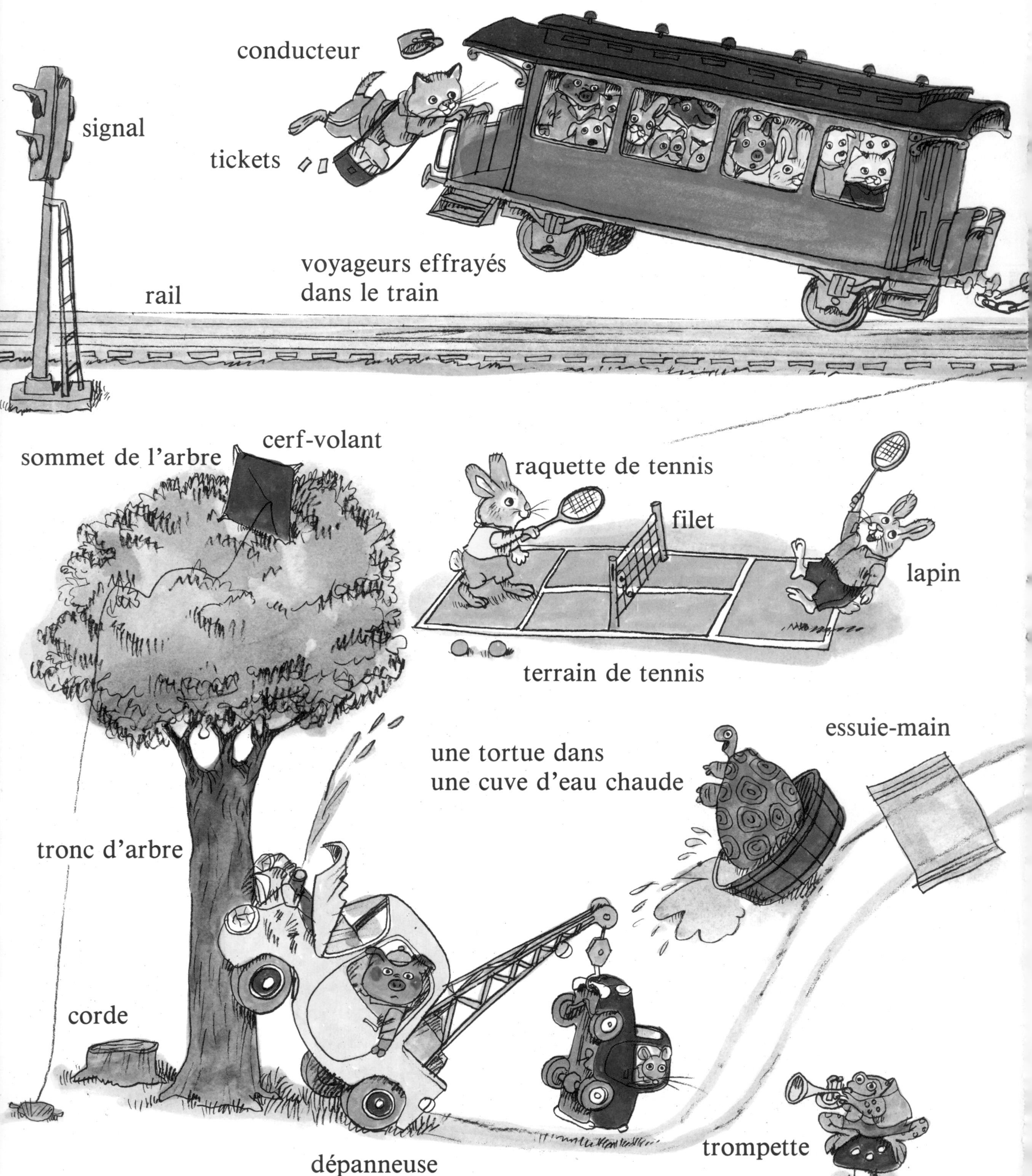

Poussie sur son tricycle.

Rudolphe le Sauvage a de nouveau
fait un rapide atterrissage.
Hé, Rudolphe, tu passes à la télévision!

LE ROI

Le roi Théodore se promène.
Il ne fait pas fort attention
et marche tout droit dans
un buisson de chardons.

chardons

Le roi veut vite en sortir, mais...
« Au secours ! Je suis pris »
crie le roi Théodore effrayé.
Il enlève son élégant manteau.
En une seconde, il est délivré.

Mais un roi en chemise
n'a pas d'allure !
Et sans manteau, il fait frais.
Il va être malade.

Heureusement que passe Théodora, une gentille dame.
«Un roi en chemise! Je dois intervenir!»
crie-t-elle effrayée.

Elle fauche un peu de paille.
Puis elle met un dé sur son doigt.
Avec du fil et une aiguille, elle
confectionne un merveilleux costume
de paille pour le roi Théodore.
«Mille fois merci, Théodora» dit le roi.

Ensemble, ils retournent au château.
Ils s'assoient à l'aise près du feu.
Le roi Théodore réfléchit:
«J'ose ou pas?»
Et tout d'un coup, il saute sur le coin
de son siège et demande:
«Théodora, veux-tu devenir...»
«Grands dieux!»
«Reine?»
Elle fait signe que oui.
Qu'en penses-tu?

foyer

LA PLUIE

maison

Il pleut très fort.
Quelle bonne averse !
Lentement, la voiture
d'oncle Louis
s'enfonce dans la boue.
Tire-toi de là,
oncle Louis.

D'où vient cette
jolie musique ?

Smac ! Smac ! La grosse Hilda
mange au restaurant
aujourd'hui.
En bas, un bulldozer
est pris dans la boue.

Petit Paul tire,
grogne et soupire.
Ouf !

Hé là ! Ferme vite la porte,
avant que la maison ne soit remplie de boue.

Pierre pousse de toutes ses forces.

Même Rudolphe le Sauvage ouvre son parapluie. Malheureusement, à l'envers.

Tante Ursule court à la maison. Elle a acheté un long ruban de saucisses pour le souper.

Duc, le canard, vide son camion plein de cacahuètes.

Le brigadier Grognard crie de toutes ses forces: «Pas de tout ça dans la rue!»

VOYAGER

pilote
girouette
gant
Dans le village, une vieille auto toussote au-dessus d'un viaduc qui enjambe la rivière.
VILLAGE DE L'AMOUR
deux commères
viaduc
1
2
3
4
5
un chariot de livraison avec cinq cruches de vinaigre
un chauffeur imprudent
rivière
Un chat sauve une souris.

Vincent ne part pas en voyage.
Il reste dans son trou et
rase son gentil museau d'ours.

Victor le Viking revient chez lui
après un long voyage pénible.

LE VENT

C'est la tempête!
Le vent hurle et
taquine tout le monde.
perruque
Un laveur de vitres
nettoie la fenêtre.
morse
Rinus déguste
un melon.
bois
un seau d'eau
Un garçon laisse tomber
son pot de ratatouille.
patte
montre
50
Le loup court
après sa casquette.
Hukkie est malin!
Attaché à un poids,
il ne peut mal de
s'envoler.

Un moulin à vent
tourne et ronronne.
un essuie-main
humide
un pull-over
de laine
Un hibou coupe le blé dans le champ.
Une fille regarde par la fenêtre.
clé
une sorcière
dans sa brouette
un nouveau
chariot
roue
Deux poules
caquettent.
Deux lutteurs
luttent.
une noix sur un mur

DES CHOSES BIZARRES

Un renard et un bœuf font de la soupe aux lettres dans un coffre. Sera-t-elle bonne à manger ?

Six musiciens jouent du saxophone dans un taxi.

Maître Cornu joue au yo-yo sur la rue.

Pourquoi ce cochonnet pleure-t-il ? Il a pourtant son jouet.

B-r-r-r-o-o-o-u-u-u-mm !
un chapeau qui
ne convient pas
bulldozer
un zèbre en veston
veste
rayée
singe
Rinus pique
un petit somme.
sortie
pat
roumdoumdoum
un bébé endormi
Dippy Lézard est saoul.
Il zigzague sur le trottoir.
bouton
On traverse sans danger
sur les passages.

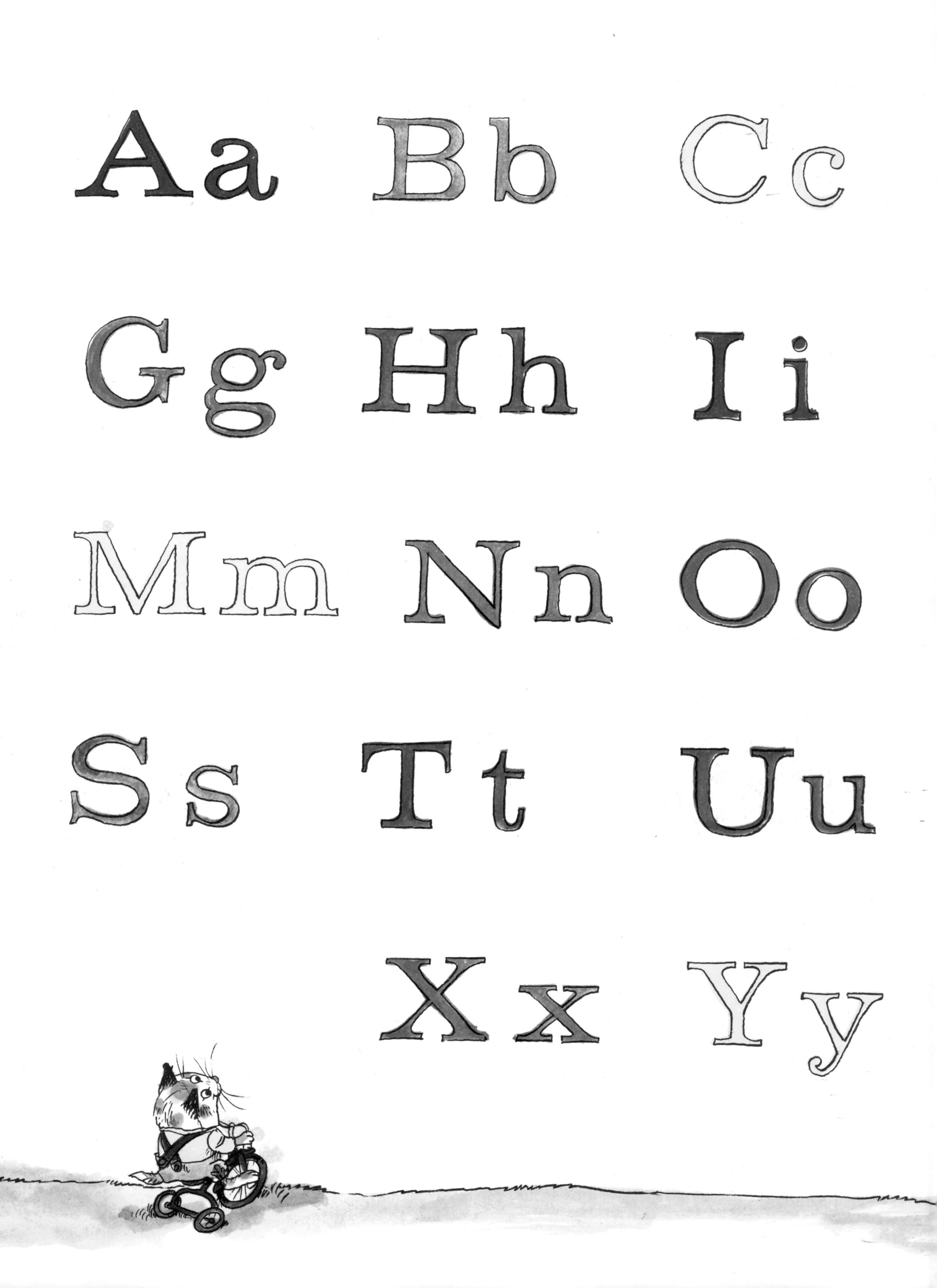
Aa Bb Cc
Gg Hh Ii
Mm Nn Oo
Ss Tt Uu
Xx Yy